D1327078

El bien
y el mal

Editor de Océano Travesía: Daniel Goldin

EL BIEN Y EL MAL

Título original: C'est bien, c'est mal

Tradujo Sandra Sepúlveda Martín de la edición original
en francés de Éditions Nathan, París

D.R. © Editorial Océano, S.L.
Milanesat 21-23, Edificio Océano
08017 Barcelona, España
www.oceano.com

D.R. © Editorial Océano de México, S.A. de C.V.
Blvd. Manuel Ávila Camacho 76, 10° piso
11000 México, D.F., México
www.oceano.mx

PRIMERA EDICIÓN 2011

ISBN: 978-84-494-4254-4 (Océano España)
ISBN: 978-607-400-308-6 (Océano México)

IMPRESO EN ESPAÑA / *PRINTED IN SPAIN*

9003167010911

Oscar Brenifier
Jacques Després

El bien y el mal

OCEANO Travesía

Podemos tener concepciones muy diferentes,
incluso opuestas, acerca del bien y el mal...

Algunos piensan que el bien y el mal se oponen,
que se pueden distinguir claramente.

Otros creen que la frontera entre el bien y el mal
es confusa, y que el mal a veces puede tomar
la apariencia del bien.

Algunos piensan que el bien y el mal son iguales en todas partes,
que todos los seres humanos coincidimos en la misma definición.

Otros creen que el bien y el mal
dependen mucho de las culturas y de las personas.
Tanto es así que su comportamiento, a veces,
nos sorprende o inquieta.

Algunos piensan que el bien y el mal están determinados
por las leyes que rigen la vida en sociedad,
y que hay que respetarlas para no ser castigados.

Otros creen que el bien y el mal son un asunto personal,
y que cada uno debe tomar sus propias decisiones,
sin preocuparse por un castigo eventual.

Algunos piensan que actuamos bien

porque nos gusta hacer felices a los demás.

Otros creen que actuamos bien por conveniencia,
porque esperamos que otros nos compensen con creces
nuestras buenas acciones.

Algunos piensan que el mal puede llegar a ser necesario,
para defendernos, castigar las malas acciones o bien impedirlas.

Otros piensan que nunca debe hacerse el mal,
y que el mal siempre se debe combatir con el bien.

Algunos piensan que el bien y el mal
son principios necesarios para guiar nuestra existencia,
y que nos permiten vivir juntos en armonía.

Otros creen que el bien y el mal nos complican la vida,
que no sirve de nada ser bueno si los demás son malos.

Algunos piensan que el bien
es natural en el ser humano,
**que basta dejarnos guiar
por nuestros sentimientos**
más profundos para actuar bien.

Otros creen que para actuar bien
hay que hacer un esfuerzo
y dejar a un lado nuestros deseos.

Algunos piensan que hay que evitar
los malos pensamientos,
pues son la causa
de todo mal.

Otros creen que tener malos
pensamientos no es grave,
siempre y cuando no los llevemos a cabo.

Algunos piensan que no hay que preocuparse demasiado por el bien,
y aceptar el hecho de que nada es perfecto.

Otros creen que el bien es lo más importante del mundo,
un ideal que hay que alcanzar a toda costa,
aunque sea difícil.

Algunos piensan que el bien y el mal existen
en la naturaleza, y que tener conciencia de ello
nos distingue de los animales.

Otros creen que el bien y el mal
son principios inventados por el ser humano
para facilitar las relaciones entre las personas,
que son reglas que podemos cambiar a nuestra conveniencia.

Algunos confían en las personas que les desean el bien,
y aprecian que se interesen por ellos
y les den consejos.

Otros tienden a desconfiar de las personas bien intencionadas,
pues piensan que quieren imponerles sus ideas.

Algunos piensan que en la vida
lo más importante es intentar hacer el bien
y evitar hacer el mal.

Otros creen que existen otros
principios importantes en la vida:
la libertad, la verdad, el placer o la tranquilidad.

Y tú, ¿qué opinas?

Oscar Brenifier es doctor en filosofía y pedagogo. Ha trabajado en varios países promoviendo talleres de filosofía para adultos y prácticas filosóficas para niños. Ha publicado la colección para adolescentes "L'apprenti-philosophe" ("El aprendiz filósofo") de Nathan, y la obra *Questions de philo entre ados* (*Preguntas de filo(sofía) entre adolescentes*) de Le Seuil, así como la colección para niños "PhiloZenfants" ("Filosoniños") de Nathan, traducida a numerosos idiomas, y "Les petits albums de philosophie" ("Los pequeños álbumes de filosofía") de Autrement. También ha publicado manuales para profesores: *Enseigner par le débat* (*Enseñar para el debate*) de CRDP, y *La pratique de la philosophie à l'école primaire* (*La práctica de la filosofía en la escuela primaria*) de Sedrap. Es autor del informe *La philosophie non académique dans le monde* (*La filosofía no académica en el mundo*), financiado por la UNESCO.
www.brenifier.com

Jacques Després debía haber sido joyero, como lo dictaba la tradición familiar, pero se integró clandestinamente a las Bellas Artes. A principios de los noventa, todavía de manera clandestina, Jacques decide renunciar a la corriente de las artes reconocidas y se embarca hacia este nuevo medio, todavía balbuceante, que es la ilustración digital. Esta disciplina se afirma rápidamente como uno de los campos de investigación más extraordinarios en la producción de imágenes. Con el transcurso de los años, fue llevado a trabajar en áreas tan variadas como la animación, el juego o la escenografía.
www.jacquesdespres.eu

En la misma colección: